Wat een piratenmeid!

Els Rooijers
Tekeningen van Camila Fialkowski

Zwijsen

Bolleboos
op weg

LEESNIVEAU

	ME	ME	ME	ME	ME		
AVI	S	3	4	5	6	7	P
CLIB	S	3	4	5	6	7	8	P

anders zijn; piraten

Toegekend door Cito i.s.m. KPC Groep

1e druk 2009
ISBN 978.90.487.0364.7
NUR 282

Deze titel is eerder verschenen bij Uitgeverij Zwijsen in de serie Bolleboos. Oorspronkelijke uitgave: 1995

Vormgeving: Rob Galema
Uitgeverij Zwijsen B.V., Tilburg

Voor België:
Uitgeverij Zwijsen.be, Antwerpen
D/2009/1919/269

Inhoud

……

1. Bezoek

Twee handen pakten de onderkant van het raamkozijn beet. Met kleine rukjes schoof het raam zacht piepend omhoog totdat het niet verder wilde. Een zwarte laars, waar zand en stukjes schelp aan plakten, werd naar binnen gestoken. Een bovenbeen en een halve bil volgden. Ook een hand, een arm en een rood aangelopen hoofd waren nu binnen. Er viel een zwarte hoed met brede rand op de vloer van de slaapkamer. Even was een witte doodskop in het licht van de vuurtoren te zien. Toen was het weer donker.

Zwaar gehijg en gesteun verbraken de stilte van de nacht. Eindelijk was ook het dikste gedeelte van het mannenlijf door de smalle opening geperst. De man zocht zijn hoed en krabbelde overeind.

Midden in de donkere kamer bleef hij staan en trok een zwarte zakdoek uit zijn broek. Langzaam veegde hij het zweet van zijn voorhoofd.

Het licht van de vuurtoren streek door de kamer, over een bureau en een stoel, over speelgoed en boeken. En over het bed waarin Kim lag te slapen.

'Ah, daar ligt ze!' mompelde de man. 'Eens kijken of we haar wakker kunnen krijgen.' Hij deed het lampje naast Kims bed aan. 'Snoes!' siste hij, 'wordt eens wakker.' Hij pakte haar arm en schudde die stevig heen en weer.

'Hé snoes, kom eens onder die roze wolk vandaan.'

Hij sloeg haar dekbed een stukje terug.

Met een ruk kwam Kim overeind. 'Nee, dat is mijn knikker!' schreeuwde ze. Woest gooide ze zich op haar andere zij.

Geschrokken deed de man een stap naar achteren en luisterde scherp. Had iemand in huis die schreeuw gehoord? Was er iemand wakker geworden? Roerloos bleef hij staan. Nee, het bleef stil. Hij hoorde alleen het gefluit van zijn eigen ademhaling.

Hij bracht zijn mond vlak bij Kims oor.

'Ik ben het, Breedkaak, word nou wakker, ik kom je halen.'

'Geef terug!' gilde Kim.

'Alle krabbenpoten nog aan toe! Die meid schreeuwt iedereen wakker.' Zijn oog rolde rond in zijn oogkas. Hij krabde in zijn baard en dacht na.

'Dan moet het maar morgen,' mompelde hij, 'het kan niet anders. Zo is het echt te gevaarlijk.'

Zijn hand gleed in zijn broekzak en haalde er een stompje potlood uit. Snel krabbelde hij wat op een stuk papier. Hij trok zijn dolk en tzak! de metalen punt boorde zich diep in het hout. Tevreden keek Breedkaak naar het briefje dat vastgepind aan het hoofdeind van Kims bed hing.

'Daar zul je het zeker vinden,' zei hij tegen de slapende Kim.

'Kun je wel!' riep Kim terwijl ze zich weer op haar andere zij gooide.

'Zet hem op snoes,' grijnsde Breedkaak, 'morgen mag je voor mij vechten.'

De stukjes schelp knerpten onder zijn laarzen ter
wijl hij naar het raam liep. Moeizaam klom hij weer
naar buiten. Hij haalde zijn afgezakte broek op en
verdween in de nacht.

2. De brief

De zon scheen door het opengeschoven gordijn naar binnen en kriebelde aan Kims gezicht. Langzaam gingen haar ogen open, zakten weer dicht en gingen weer open. Opeens waren ze wijd opengesperd. Vol ongeloof staarde ze naar de dolk boven haar hoofd. Ze schoot overeind en scheurde het briefje onder de metalen punt vandaan.

Snoes, ki beh ej godin.
Ne jij tigl newoog et nonker sla nee
nronked neeanemooz.
Flsoa re sietn naa ed danh si.
Raam danavonv mak ki ej naleh,
Ats rlaak!
Napiteik Kreedkaab.
S.P. Tergeev ej rerrekijkev tien.

'Een brief van kapitein Breedkaak! Hoe is hij hier binnengekomen?' Kim volgde met haar ogen het spoor van zand, schelpjes en opgedroogd zeewier. 'Door het raam? Dat kan niet, daar is hij veel te dik voor.' Ze sprong uit bed en stak haar hoofd door het venster naar buiten. Een paar flinke voetafdrukken stonden onder haar raam. Een pad van geknakte bloemen wees de richting aan waarin hij verdwenen was.

‘Dus toch!’ fluisterde ze. ‘Hij is hier binnen geweest.’ Dromerig keek ze naar het briefje in haar hand. Hoe was het ook weer, dacht ze. Ik moet letters omdraaien, maar welke?
Ze pakte een potlood en streepte en schreef, gumde en schreef opnieuw.
‘Nu weet ik het weer, de eerste en de laatste letter moet ik verwisselen!’ Snel begon ze te schrijven.

Snoes, ik heb je nodig.
En jij ligt gewoon te ronken als een dronken zeeanemoon.
Alsof er niets aan de hand is.
Maar vanavond kom ik je halen.
Sta klaar!
Kapitein Breedkaak.
P.S. Vergeet je verrekijker niet.

Kim staarde naar de tekst die ze geschreven had. ‘Ik heb je nodig,’ fluisterde ze. ‘Breedkaak heeft me nodig, maar waarvoor? Wat zou er aan de hand zijn?’
Ze liep naar de kast en begon tussen haar speelgoed te graven. Van onder uit de berg troep haalde ze een zwarte koker en maakte hem open. De zwarte buis die tevoorschijn kwam, schoof ze langzaam uit. Ze liep ermee naar het raam en zette hem tegen één oog. Van heel dichtbij zag ze het spoor van geknakte bloemen. Ze volgde het door de tuin en keek toen de straat af.
‘Breedkaak, waar zit je,’ mompelde ze. ‘Moet ik je soms helpen om een schat te zoeken? Kun je

het weer niet alleen?' Kim grinnikte, ze kreeg een kriebelig gevoel in haar buik. Vanavond komt hij me halen! Dan moet ik klaarstaan. Wat heb ik ook weer allemaal nodig? Mijn ooglapje en die gouden oorring ...

'Kim? Ben je al wakker?'

Kim schrok op. Haar moeder kwam er aan! Ze schoof de verrekijker in elkaar en rolde hem onder het bed. Ze sprong naar haar kussen en zette het schuin omhoog tegen de dolk. Zelf ging ze ervoor zitten en wachtte totdat de deur van haar kamer openging.

'Goedemorgen meisje, heb je lekker geslapen?' Moeder zag er nog erg gekreukeld uit. 'Ga je je snel aankleden? Doe je nette jurk maar aan. Niet teuten hoor, want het is al laat.' En weg was moeder weer. Kim pakte met beide handen de dolk beet en trok uit alle macht. Met een schok kwam de punt uit het hout zetten. Ze tuimelde achterover en viel op de grond.

'Pff!' blies ze geschrokken, 'dat ging maar net goed.' Ze keek om zich heen. Waar moet ik dat enge ding laten? Als mama hem vindt ...

Ze tilde haar matras een stukje op en schoof de dolk eronder. 'Niemand die hier kijkt,' zei ze zacht. Uit de la van haar bureau haalde ze een sticker met een dolfijn erop. Ze plakte hem over het gat dat de dolk in het bed had achtergelaten.

Tevreden keek ze de kamer rond. Haar moeder zou er nooit achter komen dat Breedkaak op bezoek was geweest.

......

'Kim, schiet je op! We moeten ook nog een nieuwe pleister op je oog doen.'
Kim stak haar tong uit naar de deur. 'Blèèh, stom gedoe!' siste ze. 'Ik wil die rottige pleister niet voor mijn oog, dan zie ik geen barst. Daardoor verlies ik steeds met knikkeren.'
'Heb je me gehoord, Kim?'
'Ja mam, ik kom.'
Maar vanavond doe ik mijn ooglapje voor! En dan niet voor mijn goeie oog. Nee, dan doe ik hem lekker voor mijn luie oog. Want een piraat moet goed kunnen zien. Anders redt hij het niet in het gevecht. Voor je het weet ben je je hand of zelfs je hele been kwijt. Kim rilde.
Snel deed ze de laatste knoop van haar jurk dicht en rende naar beneden.

3. Naar bed

Moeder trok 's avonds de gordijnen dicht en ging op de rand van Kims bed zitten. Als vanzelf ging haar hand naar de pleister op Kims oog. Ze streek erover en drukte hem wat vaster.

'Die kan nog wel een dagje blijven zitten.'

Kim knikte. Ze wilde dat haar moeder wegging.

Moeder aarzelde en keek de kamer rond.

'Kim,' zei ze toen, 'ik moet je wat vragen.' Kim was meteen op haar hoede, de stem van moeder klonk zo ernstig.

'Ik kom vandaag op je kamer en wat zie ik?'

Kim keek haar moeder zo onnozel als mogelijk aan.

'Dit.' In haar hand hield ze het briefje van Breedkaak.

'Oh, dat is van mij.' Kim wilde het briefje pakken.

'Niets daarvan,' zei moeder, 'eerst wil ik weten wat erin staat.'

'Dat kan niet, dat is geheimschrift.'

'Aha!' Moeder keek Kim scherp aan. 'Geheime piratentaal zeker?'

'Nee, natuurlijk niet, dit briefje heeft Jolanda geschreven.'

Moeders ogen werden klein als spleetjes. 'En hoe komt dan al dat zand op de grond? En die schelpen, waar komen die vandaan? Ben je soms op het strand geweest?'

'Dat zand zat nog in mijn schoenen, dat komt uit de zandbak op school.'
'Je bent toch niet alleen naar de duinen of de zee gegaan?'
Kim schudde heftig haar hoofd. 'Natuurlijk niet, dat mag ik toch niet van jullie.'
Moeder staarde peinzend voor zich uit. 'Maar of je het ook niet dóét ...' Ze trok Kims dekbed glad. 'Voortaan trek je je schoenen beneden uit. Ga nu maar lekker slapen.' Ze gaf Kim een kus en verliet de kamer.

Kim sprong uit bed. Snel deed ze haar nachtjapon uit en trok haar lange broek en gestreepte T-shirt aan. Ze haalde haar gouden oorring uit een kistje en hing hem in haar oor. Voor de spiegel pulkte ze voorzichtig aan de pleister waarmee haar goede oog dichtgeplakt zat. En nu in één keer, dacht Kim. Rats, ze trok de pleister los. Zo zie ik tenminste weer wat, dacht ze, dat luie oog kan er niets van. Ze haalde een zwart ooglapje uit haar la en bond het voor haar luie oog. Nu nog mijn verrekijker en dan ben ik klaar.
Ze tuurde door het raam in de schemering. 'Het is nog te vroeg,' mompelde ze, 'Breedkaak komt pas als het donker is.' Ze schoof het raam open. Ik zou alvast naar de bunker kunnen gaan. Daar zat hij vorige keer ook. De kille avondlucht streek langs haar huid. Ze huiverde. Toen was het warm, dacht ze, en midden op de dag, maar nu ... Ze keek naar de schaduwen in de tuin. Ik mag niet alleen naar de

duinen van mama. Ik zal gewoon geduld moeten hebben.
Ze ging op haar bed zitten en wachtte.

Zachtjes ging de deur van Kims kamer open.
'Moet je nou eens kijken,' fluisterde moeder, 'ik had haar toch al in bed gestopt.'
Vader kwam ook de kamer in en keek verbaasd naar Kim. 'Had ze toen haar nachtjapon aan?'
'Ja natuurlijk, anders leg ik haar niet in bed. Ze is er weer uit gekomen en heeft zich aangekleed. Kijk, zelfs de verrekijker hangt op haar rug.'
'Dat heeft ze natuurlijk in haar slaap gedaan.' Vader bukte zich en trok de veters van Kims bergschoenen los.
'Ik vertrouw het niet,' zei moeder, 'volgens mij is er wat anders aan de hand. Ik vond ook al zo'n raar briefje, je weet wel, geschreven in geheimschrift.'
Vader begon zachtjes te lachen. 'Dat deden wij vroeger toch ook, dat vinden die kinderen spannend.'
'En er lag heel veel zand en schelpen en nou ja, laat ook maar.' Moeder keek boos naar het lachende gezicht van vader. 'Allemaal onzin zeker?'
Vader sloeg zijn armen om haar heen. 'Schatje, je haalt je weer van alles in je hoofd. Kim heeft gewoon veel fantasie, meer niet. Kom, we zorgen dat ze haar nachtjapon aan krijgt en onder de dekens komt. Dan kunnen wij ook gaan slapen.'

4. Een gestolen vrouw

'Snoes, hé snoes, word eens wakker!' Breedkaak schudde Kim hard heen en weer. 'Alle krabbenpoten nog aan toe! Dat zijn toch geen afspraken!' Hij knipte het lichtje naast haar bed aan en tikte tegen haar wang. 'Kom op snoes, we moeten op pad!' Hij pakte haar onder haar oksels en zette haar overeind. Maar zodra hij losliet, zakte ze als een pudding in elkaar.
'Nog slapper dan een kwal,' mompelde Breedkaak, 'valt niets mee te beginnen.' Hij pakte het ooglapje en bond het om Kim haar hoofd. De oorring klikte hij vast aan haar oorlelletje en de verrekijker hing hij om haar nek.
Toen sleepte hij haar naar het raam en schoof haar voorzichtig door de opening. Met een plof belandde ze in de vochtige aarde.
'Wat gebeurt er?' mompelde Kim. Verdwaasd keek ze naar het bleke licht van de vuurtoren dat door de tuin streek. Een zwarte laars kwam naast haar op de grond terecht. Gehijg en gesteun klonken boven haar hoofd. Nog een zwarte laars plantte zich naast haar in de aarde. Opeens vloog ze met een zwaai door de lucht. Ze gaf een gilletje.
'Wees stil, snoes, je maakt je moeder nog wakker!' De stem van Breedkaak klonk van heel dichtbij. Kim voelde zijn baard tegen haar wang kriebelen.

Een eind onder haar bewoog de grond heen en weer. Ze tilde haar hoofd op en zag naast zich het langzaam rollende oog van Breedkaak. Ze kreeg een warm gevoel van binnen.

'Waarom hang ik over je schouder?' vroeg ze slaperig. 'Ik kan zelf wel lopen.'

'Ha, die snoes!' lachte de kapitein, 'net wakker en dan al weer praatjes.' Zijn stem bulderde door de lege straten. 'Jij blijft daar lekker liggen, we hebben namelijk haast.'

'Hebben we haast? Waarom?' Haar ogen waren nu wijd open en haar stem klonk helder. 'Wat is er aan de hand?'

'Gedonder hebben we, en niet zo'n beetje ook. Alle gestoofde makrelen nog aan toe!' Het oog van Breedkaak rolde nu woest door zijn kas. 'Die Goudtand kan ik wel vermorzelen! Pekelen zou ik hem het liefst en dan koken als een krab!'

Kim rilde. 'Bedoel je kapitein Goudtand? Wat heeft hij dan gedaan?'

'Hij is verliefd!' De woorden van de kapitein weerkaatsten tegen de huizen. Zijn laarzen stampten over de straatstenen. 'Verliefd op een vrouw!'

'O' zei Kim, 'is dat alles.'

'Of dat alles is?' riep Breedkaak woest. Hij pakte Kim beet en zwiepte haar door de lucht. Nu ze weer met beide benen op de grond stond, stak hij hoog boven haar uit. 'Je weet niet wat je zegt!' stormde het boven haar hoofd. 'Goudtand is niet verliefd op een gewone vrouw maar op ...' Breedkaak bracht zijn gezicht vlak voor dat van Kim en liet zijn stem dalen. ‘Maar op een gestolen vrouw!’

‘Wat?’ riep Kim. ‘Heeft Goudtand een vrouw gestolen?’ Breedkaak knikte somber. ‘En nog een heel speciale ook. Wil je weten wie het is?’

‘Natuurlijk wil ik dat!’ riep Kim opgewonden.

‘Krenghilde.’

‘Kreng wie?’

‘Krenghilde, de vrouw van Brutus.’ Breedkaak zuchtte. ‘Weet je wie Brutus is?’

‘Hoe kan ik dat nou weten!’ Kim sprong ongeduldig op en neer.

‘Brutus is,’ Breedkaak stopte met praten en liet zijn oog langzaam rond rollen.

‘Zeg het, toe zeg het dan!’

‘Brutus,’ begon Breedkaak weer, ‘is de meest gevaarlijke en gemene roverhoofdman die bestaat.’

Vol afschuw keek Kim de kapitein aan. ‘Het is niet waar!’

‘Helaas wel.’

‘Maar waarom doet Goudtand dat dan! Waarom steelt hij nou juist de vrouw van Brutus? Hij kan toch zelf een aardig meisje zoeken?’

‘Piraten houden alleen van gestolen vrouwen. En hoe gevaarlijker het is om ze te krijgen hoe verliefder ze worden.’

‘En was het erg gevaarlijk?’

Breedkaak knikte en knarste met zijn kiezen. ‘Het was vreselijk gevaarlijk en nu is hij vreselijk verliefd. Hij zit maar te giechelen en te fluisteren en te poezelen met dat mens. En dat gezoen, ik word er gewoon misselijk van.’

Ruw veegde Breedkaak met zijn handrug langs zijn mond.

'Doet Krenghilde mee?' riep Kim verbaasd. 'Is zij dan ook verliefd?'

'Dat is nu juist het wonderlijke. Goudtand heeft wel vaker vrouwen gestolen maar die schopten en sloegen hem. Ze krabden in zijn gezicht en beten in zijn tong. Dan was voor hem de lol er gauw af. Maar Krenghilde, die bekend staat als het allergrootste kreng, die gebruikt haar nagels niet. Nee, ze blaast hem zachtjes in zijn oor en kietelt hem lekker in zijn nek. En Goudtand, die platvis zonder hersens, zit te rillen van genot.' Kwaad haalde Breedkaak zijn broek op.

'Maar we moeten verder. We hebben geen tijd te verliezen. We moeten Goudtand redden uit de handen van dat mens.'

Hij pakte Kims hand en trok haar verder mee door het dorp, richting zee.

5. Verstand van vrouwen

Klossend op haar bergschoenen liep Kim door de straten. Af en toe struikelde ze over de losse veters. Maar ze kreeg niet de tijd om ze even te strikken. Daar hadden ze te veel haast voor.
De kou kroop op langs haar blote benen en nestelde zich onder haar nachtjapon. Ze snapte er niets van.
Ze had toch haar lange broek aangedaan en wat was er met haar T-shirt gebeurd? Ze rilde en trok het jasje van de kapitein wat dichter om zich heen.
In een nachtjapon kun je toch niet op avontuur gaan, dacht Kim. Maar is het eigenlijk wel een avontuur?
Dit lijkt meer op grote-mensen-gedoe. Waar bemoeit Breedkaak zich eigenlijk mee?
Ze keek naar de kapitein die haar met grote stappen voorttrok. De harde zolen van zijn schoenen klonken als kanonschoten in de lege straten.
Laat Goudtand en die vrouw toch verliefd zijn op elkaar, dacht Kim. Wat kan jou dat nou schelen!
Ze liepen langs het huis van haar vriendinnetje. En in de verte, tussen de flarden mist, zag ze haar school.
Kim schraapte haar keel. 'Bljven we lang weg?'
'Dat ligt aan jou, snoes, jij zult er iets aan moeten doen.'

'Ik? Waarom ik? Wat heb ik ermee te maken?'
'Jij hebt verstand van vrouwen.'
Kims mond zakte open van verbazing. 'Ik verstand van vrouwen?' Ze tuurde in het donker naar het gezicht van de kapitein. 'Hoe kom je daar nou bij?'
'Je bent er zelf toch ook één.'
'Ik ben een meisje! Dat is heel wat anders. Meisjes houden van knikkeren en tikkertje doen. En dat willen vrouwen niet.'
'Wat willen vrouwen dan wel?' riep Breedkaak.
'Weet ik veel!'
'Is dat alles wat je kunt verzinnen!' brulde Breedkaak. 'Waarom denk je dat ik je kom halen? Vanwege je spierballen soms?' Hij kneep in Kim haar dunne bovenarm en snoof hard.
'Ik dacht dat je hersens in je koppie had!' Nors rukte hij aan Kim haar hand en verder ging het weer, richting zee.
Allemensen, dacht Kim, wat is die chagrijnig! Hij haalt me uit mijn warme bed en laat me hier in de kou lopen. En dan begint hij nog tegen me te schreeuwen ook! Dit lijkt op kindermishandeling. Waarom ga ik eigenlijk niet gillen?
'Wat wil je moeder voor haar verjaardag?' De stem van Breedkaak klonk somber.
Kim keek naar het naar voren gezakte hoofd van de kapitein en kreeg medelijden. 'Ze vraagt altijd een ring of een armband,' zei ze vriendelijk.
'Een ring of een armband?' Breedkaak krabde peinzend in zijn baard. 'Van goud zeker?'
Kim knikte. 'Maar dat krijgt ze niet hoor. Meestal

krijgt ze een lekker luchtje of een stuk zeep.'
Breedkaaks hoofd veerde op en hij grinnikte.
'Zie je wel dat je er verstand van hebt!'
Hij pakte Kim beet en slingerde haar op zijn schouder. 'Genoeg geleuterd! We moeten gaan. Nu weet ik wat er aan de hand is.'
Kim zette haar verrekijker tegen haar oog. Vanaf haar hoge plek zag ze het licht van de vuurtoren over de zee strijken. Het geschitter van de golven kwam langzaam dichterbij.

6. De Zeeduivel

Met grote slagen roeide kapitein Breedkaak naar zijn piratenschip. Weldra stootte de punt van het bootje tegen het hout van de Zeeduivel aan.
'Grijp de touwladder, snoes.'
Kim keek naar het grote schip en zag zelfs in het zwakke maanlicht dat de boot er slecht uitzag. De verf was geschilferd en de zeilen waren gescheurd.
Treetje voor treetje klom Kim langs de touwladder omhoog. Ze lette goed op dat ze niet op haar nachtjapon ging staan. Onder haar klotsten de donkere golven, het opspattende schuim kietelde aan haar voeten. Ze greep de houten rand van het schip vast en klom eroverheen. Aan boord was het stil, er was geen piraat te bekennen.
Even later belandde Breedkaak met een doffe dreun naast haar op het dek.
'Dat gaat zo niet.' Hij trok aan Kim haar lange nachtjapon en schudde afkeurend zijn hoofd.
'Ik had toch een lange broek aangedaan,' zei Kim, 'en waar is mijn T-shirt gebleven?'
'Zo heb ik je in bed gevonden,' riep de kapitein vanuit de kajuit. Hij liep het dek weer op, in zijn hand hield hij een schaar. Vanaf een afstandje bekeek hij Kim en mompelde wat in zijn baard. Toen knielde hij naast haar neer en begon snel te knippen. Kim voelde de schaar zigzaggend langs haar

benen omhoog kruipen. Eerst aan de voorkant en daarna ook aan de achterkant. De kapitein deed een stap achteruit, dacht na en verdween weer in de kajuit.

Kim keek langs haar nachtjapon naar beneden, naar haar knieën die tussen de franjes door staken.

Help! dacht ze en ze voelde zich een beetje duizelig worden. Mama wordt witheet als ze dit ziet!

'Wat is er snoes, vind je het niet mooi? Mijn jasje gaat natuurlijk uit. En dan doen we deze riem er nog om en trekken de boel een beetje op. En als je deze zwarte blouse aandoet en om je middel knoopt, ja zo. Geweldig! Snoes, je ziet er weer fantastisch uit!'

'Ja maar, ja maar, mijn moeder ...'

De kapitein tilde Kim op en danste met haar over het dek. 'Wat hebben we nou met je moeder te maken!' riep hij. 'Zie jij haar? Ik niet!' Hij gooide zijn hoofd achterover en begon onbedaarlijk te lachen. Zo hard dat Kim een beetje een hekel aan hem kreeg. In haar buik begon het akelig te kriebelen. Ze kreeg zin om hem eens flink te jennen.

'Waarom is het zo stil? Zijn er geen andere piraten?' vroeg ze met een lief stemmetje. 'En waarom ziet je schip er zo lelijk uit en zijn de zeilen gescheurd? En waar is je dikke buik gebleven? Hij is ietsje dunner dan anders.'

Boink! Met een dreun werd Kim op het dek gezet. De mond van de kapitein klapte dicht. Hij bracht zijn gezicht vlak voor dat van Kim en keek haar strak aan.

Kim deed haar best naar het zwarte lapje te turen en niet naar dat bruine oog. Dat grote bruine oog dat zich langzaam vulde met vocht.

'Nee!' riep ze, 'nee niet huilen, zo bedoelde ik het niet.'

'Maar zo is het wel.' De kapitein haalde hard zijn neus op. 'Het is een bende aan boord. Ik heb geen geld om verf te kopen en de zeilen te laten repareren. En het ergste is dat alle piraten bij me weggelopen zijn. Alleen omdat ik ze niet meer kon betalen.' De kapitein haalde zijn broek wat op en deed de riem een gaatje strakker.

'Is je geld nou alweer op! Hoe kan dat nou? Je had pas nog een schat gevonden.'

'Grr!' De kapitein klemde zijn kaken op elkaar en balde zijn vuisten. 'Die gladde aal van een Goudtand heeft die schat weer van me afgepikt. Dat glibberige stuk zeewier, die ellendige mosselvreter!' De kapitein hief zijn gebalde vuisten en zwaaide ze woest door de lucht.

'Waarom laat je hem niet bij Krenghilde zitten? Dan heb je geen last meer van hem.'

'Omdat,' de kapitein hapte naar lucht, 'omdat hij alleen weet ...' Zijn gezicht werd steeds paarser, hij stikte zowat van woede. Met grote passen liep hij naar het roer en klemde zijn handen eromheen.

'Snoes! Trek het zeil aan en hijs het anker, we vertrekken!'

7. Knikkers

Het enige zeil van de Zeeduivel dat niet kapot was, stond bol gespannen. De andere zeilen klapperden doelloos in de wind.
Kim stond bij de reling en tuurde door haar verrekijker. De franjes aan haar nachtjapon dansten om haar benen. Vlak voor haar oog bewogen de golven op en neer. Toch fijn, dacht Kim, dat papa me die kijker met mijn verjaardag gegeven heeft. Hoewel die stomme kinderen me wel uitlachten toen ik ermee op school kwam. Wat was ik kwaad zeg! Zo kwaad, dat ik toen gewoon de klas ben uitgerend! Dat zou ik nu niet meer doen. Maar daardoor heb ik wel Breedkaak en Goudtand en de andere piraten leren kennen. Kim zag nu geen golven meer door de kijker maar zichzelf in een roze feestjurk. Ze danste op een piratenschip samen met kapitein Goudtand. Haar rokken draaiden in het rond en de piraten om haar heen klapten en joelden.
'Snoes, wat zie je?'
Kim keek naar Breedkaak die aan het roer stond.
'Water,' zei ze, 'alleen maar water.' Ze tuurde weer door de kijker.
Eigenlijk word ik nu niet meer zo geplaagd, dacht ze. Alleen met knikkeren, dat is vervelend. Ze willen allemaal tegen mij omdat ze dan makkelijk kunnen winnen. Kunnen ze wel! Ze zouden het zelf

eens met één oog moeten proberen. Kim voelde hoe de boosheid in haar buik groeide en opbolde. Ze drukte de kijker harder tegen haar oog. Als ik zeg dat ik niet wil, dan lachen ze me uit. Ze durft niet, ze durft niet, roepen ze dan. En ik durf natuurlijk wel!

'Snoes, wat sta je toch door die kijker te turen! Het lijkt wel of je een schip vol met vechtende piraten ziet.'

'Mijn knikkers zijn bijna op,' zei Kim boos. Ze liet haar verrekijker zakken en liep naar Breedkaak toe.

'Die van jou ook al?' Breedkaak keek haar somber aan. 'Ik heb helemaal niets meer, maar daar gaan we nu iets aan doen.'

'Is het nog ver?'

Breedkaak knikte. 'Het is nog een behoorlijk eind varen.'

'Waarom doe je toch zoveel moeite om Goudtand bij die vrouw weg te halen? Je kunt toch veel beter een schip enteren of een schat gaan zoeken. Dan heb je tenminste weer geld.'

'Hoe kan ik nou in mijn eentje een schip enteren? Of ga jij met een mes tussen je tanden aan boord van een andere boot? Zwaai jij dan met je sabel onder de neus van een paar grote kerels?' Breedkaak lachte zuur. 'Nee snoes, ze zouden krom liggen van het lachen en vervolgens gooien ze je overboord. Ze kieperen je zo de donkere golven in.'

Kims ogen dwaalden over de zee die vol met heuvels van water was.

'Ga dan een schat zoeken,' zei ze zacht.
'Wel alle haringen in een ton!' bulderde Breedkaak. 'Daar ben ik toch mee bezig.' Met een ruk haalde hij zijn broek op.
Kim deed een stapje bij hem vandaan. Ze keek naar zijn oog dat woest heen en weer schoot.
'Ik snap het niet' zei ze voorzichtig. 'Ik dacht dat we Goudtand bij Krenghilde weg gingen halen.'
'Dat is hetzelfde.'
'Oh,' zei Kim. Ze trok zachtjes aan haar gouden oorring en dacht na.
'Heeft Krenghilde dan een schat?'
'Nee, natuurlijk niet, Krenghilde wil een schat. Ze wil gouden ringen en armbanden, net als je moeder. En Goudtand is de enige die daarvoor kan zorgen. Daarom is ze zo lief voor hem.' Breedkaak klemde zijn kaken hard op elkaar, zijn kiezen knarsten akelig. Tussen zijn gefronste wenkbrauwen kwam een diepe gleuf.
'Ze hoeft nog maar een paar keer in zijn oor te blazen en dan ...' Moedeloos schudde Breedkaak zijn hoofd.
'Wat dan?' Kim hield haar adem in.
'Dan vertelt hij precies waar zijn schatten liggen.'
'Dus daarom moet hij weg bij Krenghilde!' riep Kim.
'Juist!' De knokkels van Breedkaak werden wit, zo stevig greep hij het stuurwiel vast. 'Straks weet dat kreng waar iedere schat begraven ligt en ik weet er niet één!' Een lange tijd tuurde de kapitein somber naar de gescheurde zeilen.

'Had hij haar maar nooit ontvoerd,' zei hij uiteindelijk.

'Hoe heeft hij dat eigenlijk gedaan? Hoe heeft hij haar te pakken gekregen?'

'Dat zal ik je straks wel vertellen. Maar eerst moeten we van koers veranderen. Gooi de zeilen maar los.'

Kim pakte een touw en haalde er wel acht zeemansknopen uit. De kapitein draaide hard aan het stuurwiel en het grote zeil begon te klapperen.

'Trek het zeil om, snoes, kom op, sjorren!' Kim trok zo hard als ze kon. Hoe sneller ze klaar was hoe eerder ze het verhaal zou horen.

8. Krenghilde

Breedkaak zette zijn tanden in een zeekaak en scheurde een stuk van het harde brood af. Droge kruimels vielen in zijn baard en bleven hangen in de pluizige krulletjes.
'Goudtand,' begon hij met volle mond te vertellen, 'ging met een roeibootje aan land. Hij was alleen. Zijn piraten bleven achter op het grote schip dat vlak voor de kust lag.'
Breedkaak nam een slok water en spoelde het brood weg. Hij haalde een volgende zeekaak uit een blik en brak hem doormidden.
'Hier, neem ook een stuk.'
Kim trok een vies gezicht. 'Geef mij maar een appeltje.'
'Alle rottende vissenschubben nog aan toe!' De vuist van Breedkaak beukte tegen het blik. 'Verwende waterjuffer! Je denkt toch niet dat ik daar geld voor heb? Dit is het enige voedsel aan boord. Ik ben niet voor niets zo mager geworden.'
Kim keek naar de buik van de kapitein die kwaad op en neer deinde. Zonder nog iets te zeggen, pakte ze de halve zeekaak aan en begon erop te kauwen.
Zwijgend zaten ze naast elkaar. Ieder probeerde op zijn manier het droge brood naar binnen te krijgen.
'Wil je de rest van het verhaal nog horen?'
Kim knikte nors.

'Ik zie Goudtand uit het bootje stappen en tussen de bomen verdwijnen. Even later komen er drie mannen uit het bos te voorschijn. Het zijn Brutus en twee van zijn rovers. Ze wijzen naar het schip van Goudtand. Dat is makkelijk te herkennen omdat het het enige piratenschip is met een gouden mast. En dan steken die drie kerels hun hoofden bij elkaar en beginnen te smoezen. Ik begreep meteen dat ze iets aan het verzinnen waren. Dat er een gemeen plan in die lelijke koppen opkwam.' Breedkaak keek Kim aan, zijn oog straalde trots.

'Knap van je,' murmelde Kim met volle mond.

Breedkaak lachte tevreden en ging verder met het verhaal.

'Ik zag de mannen wegsluipen tussen de bomen. Even later kwam Krenghilde tussen het struikgewas vandaan. Ze ging bij de roeiboot zitten en wachtte geduldig. Opeens sprong ze op, ze maakte haar haar nog erger door de war dan het al was. Ze trok haar rokken scheef en smeerde een veeg blubber op haar gezicht.'

Kwaad schopte Breedkaak tegen het blik. De laatste zeekaak rammelde.

'Dat kreng weet maar al te goed van wat voor vrouwen Goudtand houdt.'

'Houdt hij dan van vieze vrouwen?' vroeg Kim verbaasd.

'Hoe viezer, hoe mooier.'

'Dat is toch niet mogelijk!'

'Toch wel, luister maar,' zei Breedkaak.

'Goudtand kwam tussen de bomen door aanlopen.

Krenghilde draaide zich naar hem om en deed alsof ze schrok. En op dat moment gebeurde het. Ik kon het goed zien door mijn verrekijker. Goudtand begon te trillen als een mast in de wind. Alles bewoog aan hem, van zijn snor tot aan de punten van zijn laarzen. Zijn gouden tand klapperde als die van een bever, zijn hoed wipte op zijn hoofd op en neer. Zijn handen schudden en zijn knieën knikten.
Een paar tellen bleven ze zo tegenover elkaar staan. Plotseling begon Krenghilde te rennen. Ze schoot vlak langs hem heen en vluchtte het bos in. Goudtand strekte zijn armen om haar te pakken maar hij was te langzaam, veel te langzaam. Pas toen ze tussen de bomen verdwenen was, kwam hij in beweging. Zo snel als hij kon, rende hij achter haar aan. Ik probeerde ze met mijn kijker te volgen. Af en toe zag ik wat roods van Krenghildes rok. Dan zag ik weer iets schitteren. Ik denk dat dat zonlicht was dat weerkaatste op de gouden tand van de kapitein.
Het ging almaar verder, steeds hoger de berg op. Krenghilde kwam het bos uit en klauterde over de rotsen. Ze keek steeds over haar schouder om te zien of Goudtand haar nog volgde. En dat deed hij, als een razende vloog hij omhoog. De afstand tussen hen werd steeds kleiner. Tot mijn schrik zag ik dat Krenghilde recht op het rovershol afging.'
Kim greep Breedkaak bij zijn arm. Haar nagels groeven in zijn vel.
'Het is toch niet waar! Zeg dat het niet waar is!'
'Het is wel waar. En voor het hol zaten Brutus en de rovers.'

‘En toen?’ riep Kim. ‘Wat gebeurde er toen?’
‘Goudtand volgde haar als een blinde diepzeevis. Het leek of hij geen verstand meer in zijn kop had.’
Breedkaak wroette met zijn nagel tussen zijn tanden om de broodresten los te krabben.
‘De rest vertel ik zo wel. Ik ga eerst een hengel in het water leggen. Anders eten we straks weer droge kaak.’

9. Gestolen

Breedkaak stak de hengel over zijn schouder naar achteren. Zijn arm zwiepte naar voren en de dobber met daaraan het vishaakje vloog door de lucht.
'Ik hoop dat ze een beetje willen bijten,' zei hij. 'De laatste dagen is het niet veel.'
'Kapitein, vertel je nu verder?'
Breedkaak lachte plagerig. 'Wil je zo graag weten hoe het met Goudtand afgelopen is?'
'Ik denk niet dat er nog veel van hem over is.' Kim zuchtte triest. 'Hij liep zeker recht in de armen van Brutus?'
'Ja,' vertelde de kapitein, 'Goudtand wist inderdaad niet meer wat hij deed. Hij lette niet op gevaar. Nog maar één ding telde. Hij moest en zou die vrouw stelen.
Het rovershol was goed te zien vanaf mijn boot. Het is een grot in de kale rotsen, hoog boven de zee. Brutus en zijn mannen zaten voor de ingang te dobbelen. Krenghilde kwam gillend aangerend en schoot de donkere opening in. Brutus keek op en staarde midden in het rood aangelopen gezicht van Goudtand. Die had zijn armen al gestrekt om Krenghilde te grijpen.'
'Het is toch niet waar?' fluisterde Kim met dichtgeknepen stem. 'Was Goudtand haar tot aan het hol gevolgd?'

'Ik kon mijn oog ook niet geloven. Maar hij deed het echt.' Breedkaak krabde hard in zijn baard. 'Het ergste was dat er een gevaarlijke schittering in de ogen van Brutus kwam. Zijn hand gleed langzaam naar de dolk aan zijn riem. Goudtand was als betoverd, stokstijf bleef hij staan. Maar langzaam, heel langzaam begon hij te snappen dat hij in gevaar was. Zijn armen zakten naar beneden en stapje voor stapje ging hij achteruit.'
Kim greep de kapitein met beide handen beet en schudde hard aan zijn arm.
'En toen?' vroeg ze bang. 'Heeft Brutus hem neergestoken?'
Breedkaak schudde zijn hoofd.
'Nu komt het meest wonderlijke. Brutus, de wreedste rover van allemaal, die haai met slagtanden, sloeg zijn ogen neer. Hij pakte de dobbelsteen en ging door met spelen alsof hij niets gezien had!'
Kim hapte naar lucht. 'Dat geloof ik niet! Niet Brutus.'
'En Goudtand kroop weg tussen een paar kale struiken en bleef daar zitten.' Breedkaak staarde peinzend naar de dobber in de zee.
'Beet!' brulde hij opeens en snel haalde hij de vislijn in. 'Die donderse gratenkoppen!' Met een beteuterd gezicht keek hij naar het lege haakje. 'Mij in de maling nemen!' Hij zwaaide met zijn vuist naar de golven. Sikkeneurig deed hij een nieuw stuk brood aan het haakje. Met een machtige zwaai plonsde de dobber weer in de zee.
'Toe kapitein, vertel nou verder.'

'Opeens,' bromde Breedkaak, 'zag ik iets glimmends door de lucht vliegen. Het kwam vlak bij het groepje struikrovers neer. De mannen keken op en doken erop af. Weer vloog er wat door de lucht. Het schitterde in het zonlicht. Goudstukken! dacht ik. Goudtand strooit met goudstukken om de rovers af te leiden.'
Breedkaak keek Kim aan. Zijn oog rolde onrustig. 'Het is de oudste en meest bekende manier om iemand ergens weg te lokken. Dat de rovers dat niet doorhadden kon ik nog wel begrijpen. Die zijn zo dom als kwallen. Maar ook Brutus stond op en klom langs de rotsen naar beneden om het goud te zoeken.
Toen alle rovers weg waren, kwam Goudtand uit de struiken. Hij glipte het donkere hol in en sleepte de spartelende Krenghilde naar buiten. Maar ze spartelde te weinig. Ze beet wel, maar niet echt hard. Als Krenghilde in je vinger bijt, dan ligt die eraf. En ze krabde ook wel, maar toch niet zo dat het bloed eruit gutste. En ik zag wel dat ze schreeuwde en dat de rovers onder aan de rotsen opkeken. Maar ze haastten zich niet naar boven. Nee, ze sloegen elkaar zelfs op de schouder alsof ze tevreden waren.'
'Ik snap er niets van!' Ongedurig frunnikte Kim aan het bandje van haar ooglapje en trok het wat strakker.
'Nou ik wel!' donderde Breedkaak. 'De rovers vonden het goed dat hij Krenghilde stal. Eigenlijk kreeg hij haar als een cadeautje mee. Maar die stomkop had dat niet eens door.'

‘Maar waarom liet Krenghilde zich dan stelen?’

‘Omdat ze goud wil, net als je moeder.’

‘Maar mijn moeder zou dat niet doen! Die zou zich nooit door Goudtand laten zoenen!’

‘Tuurlijk niet, maar jouw moeder is ook geen roversvrouw.’ Breedkaak haalde boos de hengel in. ‘Die vissen happen ook al niet vandaag.’ Met nijdige slagen wond hij het nylondraad om de hengel heen.

‘Waar is Goudtand nu?’

‘Ik weet het niet, maar hopelijk komen we daar gauw achter.’ Breedkaak wees in de verte. ‘Kijk, zie je dat geschitter. Dat is de gouden mast van de boot van Goudtand. Nog even snoes, en dan zijn we er.’

10. Brutus

Langzaam kwam de boot van Goudtand beter in het zicht. Kim tuurde door haar verrekijker. Het was een prachtig diepzwart schip, met drie masten. De middelste mast, die de hoogste en de dikste was, was van goud. Het topje schitterde in het zonlicht. De rest van de mast lag in de schaduw van de vele zwarte zeilen.
Op het dek wemelde het van de piraten. Vooral rond de mast bevonden zich veel mannen.
'Wat zijn ze toch aan het doen?' vroeg Kim. 'Ze staan maar aan elkaar te duwen en te trekken. Het lijkt wel of ze elkaar bij de mast weg willen houden.'
Breedkaak pakte zijn verrekijker en richtte hem op de boot.
'Die duivelse kerels!' mompelde hij. 'Ze proberen de mast in stukken te hakken. Moet je ze zien vechten! Ze gunnen elkaar niets, zo krijgt niemand een stuk goud te pakken.'
'En Goudtand dan?' vroeg Kim. 'Ze zijn toch allemaal zo bang voor hem!'
'Ze verwachten zeker niet, dat hij nog terugkomt.'
Kim richtte haar verrekijker op het land. Grijze keien, bomen en struiken schoten langs haar oog.
'Waar zou Goudtand zitten?' Ze liet de kijker langs het bos omhoog kruipen. Ze schoof de kijker naar

links en zag grote rotsblokken en meeuwen die haar kil aanstaarden. Ze tuurde naar de schaduwplekken of ze daar iets zag bewegen. Maar nee, niets dan kale stenen. Plotseling bleef ze roerloos staan. Ze probeerde de kijker zo stil als mogelijk te houden.
'Ik zie wat!' fluisterde ze. 'Het zijn twee kerels!'
Breedkaak richtte zijn kijker.
'Oh die twee, die heb ik al vaak genoeg gezien. Dat zijn twee rovers, die zitten altijd samen op wacht. Alleen durven ze niks en kunnen ze niks. Zelfs een zeekoe heeft nog meer verstand in zijn kop dan die twee bij elkaar.'
'Waar is dan het rovershol?'
'Ietsje verder, achter dat grote rotsblok. Maar daar is nu niets te zien, ik heb al gekeken.'
Voorzichtig bewoog Kim de kijker omhoog.
'Daar! Ik zie een ventje dat op zijn snor zit te knagen. Aan de zijkant van die grote boom. Hij zit tegen de stam geleund.'
'Moet je hem zien!' siste Breedkaak. 'Van ellende eet hij zijn snor op.' Breedkaak lachte gemeen. 'Ja Brutusje, het valt niet mee om aan een schat te komen.'
'Is dat Brutus?' Kim liet de verrekijker zakken en staarde Breedkaak met open mond aan. 'Dat kleine, miezerige ventje, is dat Brutus?'
'Hoe kleiner, hoe gevaarlijker! Vergeet dat nooit, snoes!'
'Waarom doet hij niets als hij zo gevaarlijk is? Waarom neemt hij Goudtand niet gevangen?'

'Waarom denk je dat hij zo hard op zijn snor knaagt?'
Kim haalde haar schouders op.
'Omdat zijn handen jeuken om Goudtand beet te pakken!' Breedkaak balde zijn vuisten. 'Het liefst zou hij de goudstukken uit zijn kop schudden. Hij zou Goudtand willen dwingen om hem zijn geheimen te vertellen. Maar dat lukt niet, niet bij Goudtand. Die vertelt alleen maar iets als hij dat zelf wil. En dat weet Brutus maar al te goed.'
Kim keek weer naar Brutus die nu krampachtig op zijn nagels kloof.
Opeens schoof het beeld van een enorme vrouw in de kijker. Ze stond wijdbeens, haar heupen waren zo breed als een duwboot op de Rijn. Haar gerafelde haren zwiepte ze met een ruk van haar hoofd naar achteren.
'En dat,' fluisterde Kim, 'is zeker Krenghilde.'
Breedkaak greep zich vast aan de reling en ademde zwaar. 'Wat is het toch een prachtwijf!'
Kim liet de kijker zakken en staarde Breedkaak verbaasd aan.
'Kijk wat ze doet!' siste Breedkaak.
Kim richtte haar kijker en zag hoe Krenghilde zich over Goudtand heen boog.
'Kijk! Nu doet ze het weer!'
'Wat dan?'
'Ze blaast hem in zijn oor.'
Er ging een siddering door Goudtand heen. Krenghilde lachte en haalde een stuk papier onder haar rok vandaan. Met een gebiedende vinger tikte ze erop.

'De schatkaart!' riep Breedkaak. 'Ze heeft de schatkaart al te pakken!'
Krenghilde spreidde de kaart uit op de grond.
'Oh nee, nu gaat hij de verstopplaatsen aanwijzen!'
Breedkaak greep Kim beet en schudde haar hard door elkaar. 'Snoes, doe iets! Snel, anders zijn de schatten verloren.'
Kim voelde aan haar nek en haar hoofd. 'Hoe kan ik nou iets verzinnen als je net de hele boel door elkaar hebt geklutst.'
'Alsjeblieft snoes, maak geen grapjes, je moet iets bedenken.'
'Tja,' zei Kim, 'tja, tja.' Ze trok zachtjes aan de franje van haar nachtjapon en dacht diep na.

11. Goudtand ontvoerd

Waarom,’ zei Kim, ‘halen jullie Goudtand daar niet gewoon weg. Er zijn veel meer piraten dan struikrovers, dus dat moet makkelijk lukken.’
‘Heb je daar al die tijd over na staan denken? Is dat alles wat je verzonnen hebt?’ Het oog van Breedkaak rolde woest heen en weer. Hij plukte zo hard aan zijn baard dat er haren loslieten.
Kim knikte voorzichtig.
‘Alle zeeschuimen nog aan toe! Ik breng je terug naar je moeder. Grieten zijn niks waard, ik heb het altijd al geweten.’
‘Waarom doen jullie dat dan niet?’ De stem van Kim klonk boos. Die dikke brulboei moest haar niet beledigen.
‘Omdat we dat allang geprobeerd hebben! Ik ben met wel twintig mannen van Goudtand aan land gegaan. We waren tot de tanden toe bewapend. Je kon niet eens je lippen aflikken of je had al een snee in je tong. De rovers hoorden ons al van verre aankomen, zo rammelden onze wapens. Als hazen gingen ze op de loop.
Toen we bij Goudtand aankwamen, was zelfs Krenghilde verdwenen. We hoefden hem dus alleen maar beet te pakken en mee te nemen. En dat kereltje begon me toch te spartelen. Hij sloeg en beet, kromde en strekte zich, wrong en draaide. Een pa-

ling is nog makkelijker vast te houden. Uiteindelijk hebben we hem wel van de rotsen afgekregen en in het roeibootje gezet. Al die tijd riep hij naar Krenghilde: "Liefje, zeeschuimpje, help me toch!" Maar ze kwam niet opdagen.'
'Dus het is jullie gelukt?'
'Tuurlijk, dat was een makkie. Toen hij zijn piratenschip zag, leek hij Krenghilde vergeten te zijn. Hij klom langs de touwladder aan boord en schopte een piraat die op het dek lag te snurken. Hij liep naar de mast en keek of hij nog gaaf was.
Opeens klonk er vanuit de verte een afgrijselijk geloei. Ik dacht eerst dat het een kudde zeeleeuwen was. Maar het was Krenghilde die op een rotspunt hoog boven het water stond. Goudtand richtte zijn hoofd op en bleef doodstil staan. "Zeeschuimpje!" schreeuwde hij en hij begon te rennen. Hij nam een fantastische sprong, vloog over de reling en plonsde in het water. Als een bezetene begon hij naar haar toe te zwemmen. Zijn armen maaiden door het water. Al gauw was hij niet meer dan een stipje tussen de hoge golven.'
Somber tuurde Breedkaak over het water dat nu vlak was. 'Nee snoes,' zuchtte hij, 'tegen zo'n vrouw kunnen wij piraten niet op.'
'Ja, ze heeft het wel goed voor elkaar' zei Kim.
De kapitein keek haar niet begrijpend aan.
'Hier heb je de kijker, dan kun je het zelf zien. Iedere keer als Krenghilde bij Goudtand in zijn oor blaast, wijst hij op de kaart.'
'Wat nu!' bulderde Breedkaak wanhopig. 'Wat moet

ik doen?' Zijn armen strekten zich uit naar Kim. 'Rustig maar!' riep Kim terwijl ze van hem wegsprong. 'Ik verzin wel wat!'
Ze rende naar de mast en klom snel langs de touwen omhoog. Weg wilde ze, voordat de kapitein haar weer vastgreep. Ze hees zich in het kraaiennest en bleef puffend op het kleine vloertje zitten. Diep onder haar deinde de zee. In de verte zag ze het puntje van de gouden mast schitteren. Haar ogen dwaalden af naar het vasteland en ze dacht aan Goudtand. Hij zal zo langzamerhand wel pijn in zijn oor hebben, dacht ze. Ik moet iets verzinnen om hem van dat geblaas te verlossen.

12. Het plan

Hoe red je iemand, dacht Kim, die niet gered wil worden? Ze puikte afwezig aan een korstje op haar knie. Er moet iets gebeuren waardoor Goudtand wel gered wil worden. Als ze Krenghilde nou eens in bad stopten? En heel veel shampoo en zeep gebruikten zodat ze blinkend schoon zou zijn.
Nee, Kim schudde haar hoofd, dat werkt niet. Krenghilde zou de eerste de beste modderpoel weer induiken. En Goudtand zou haar dan zo geweldig mooi vinden! Hij zou de schat dan zelfs voor haar opgraven.
'Snoes, weet je al wat?' bulderde Breedkaak vanuit de diepte. Hij pakte de mast vast en schudde hem heen en weer.
'Niet doen!' Kim kon zich nog net aan de rand van het kraaiennest vastgrijpen.
'Zeg op, wat heb je voor plan?'
'Nog niets,' riep Kim naar beneden.
'Wel alle gratenkoppen nog aan toe! Goudtand verklapt de ene verstopplaats na de andere. En wat doe jij? Jij zit maar te dromen daarboven.'
'Het duurt niet lang meer.' Kim stopte haar vingers in haar oren. Het geschreeuw van de kapitein klonk nu van ver weg.
Ze moest snel iets verzinnen, maar wat? Kim sloot haar oog.

Tegen zo'n vrouw kunnen wij piraten niet op, had Breedkaak gezegd. Waarom was Goudtand niet verliefd geworden op een andere vrouw, dacht Kim. Maar wacht eens even. Dat is het! Kim schoot met een ruk overeind.
'Kapitein,' schreeuwde ze naar beneden, 'kapitein, ik weet het! Ik weet wat we moeten doen!'
Breedkaak schrok op. Hij dacht net aan een mooi geverfde boot vol met piraten. En aan een mast vol met nieuwe zwarte zeilen.
Snel liet Kim zich uit het kraaiennest glijden. Langs een vlechtwerk van touwen klom ze naar beneden.
'We,' hijgde ze, 'we hebben een vrouw nodig. En geen gewone vrouw, maar een vrouw die Goudtand nog mooier vindt dan Krenghilde.'
De mond van Breedkaak zakte ver open, zijn oog stond doodstil en keek Kim strak aan.
'Halfgare katvis!' schreeuwde hij opeens. 'Waar halen we zo snel een vrouw vandaan? We hebben geen dagen de tijd. We moeten nu iets doen en snel ook. Krenghilde gaat zo op pad om de eerste schat op te graven.'
'Toch is het de enige manier,' zei Kim vastberaden, 'iets anders werkt niet. Jij moet je verkleden als vrouw en aan land gaan.'
'Wat?' bulderde Breedkaak en hij hapte naar lucht. 'Ik als vrouw?'
'Goudtand houdt van lekker mollig, dus zo gek is dat niet.'
Breedkaak greep naar zijn buik. 'Lekker mollig, noem je dit lekker mollig?'

‘Heb je vrouwenkleding op je boot?’ Kim had haar armen over elkaar geslagen en keek Breedkaak bazig aan.
De kapitein wendde zijn hoofd af. Hij drentelde over het dek alsof hij niet wist welke kant hij op moest.
‘Ik heb in het vooronder nog wel een paar gestolen hutkoffers staan,’ zei hij aarzelend. ‘Misschien zit daar wat bij.’
‘Kom kapitein,’ lachte Kim, ‘dan gaan we gauw kijken.’ Ze gaf Breedkaak een stevige por in zijn zij. ‘Misschien zit er wel een leuke jurk voor je bij.’
‘Ho! Wacht eens even! Waarom verkleed jij je niet als vrouw? Dat is toch veel gemakkelijker.’ Hoopvol keek de kapitein Kim aan.
‘Ik ben te klein en te mager. Dat vindt Goudtand maar niets. Nee, het moet echt een stevige meid zijn.’
‘Alsjeblieft, snoes, verzin wat anders.’
‘Nou niet meer zeuren, kapitein.’ Ze pakte Breedkaak bij de hand en trok hem mee het trappetje af.

13. Een ouderwetse jurk

De deur van de stuurhut vloog open en Breedkaak stampte naar buiten.
'Is dit nou mooi?' bulderde hij. 'Wil je het zo hebben?'
Kim keek naar de bleke wangen van de kapitein en de dikke lippen. Zonder baard zag hij er een stuk minder gevaarlijk uit.
'Die laatste plukjes haar moeten ook nog weg, dan is het goed.'
'Goed, zeg je, goed! Het is monsterlijk! Ik kan zo onder water met die dolfijnensnuit! Er gaat geen haar meer af, begrepen?'
Kim haalde haar schouders op. Ze hield een ouderwetse jurk op met roesjes en kantjes.
'Trek deze eens aan.'
De kapitein maakte gorgelende geluiden en spuugde over de reling. Morrend trok hij zijn broek uit en stapte in de jurk.
'Ik mis iets,' zei Kim. 'Het is zo kaal van voren.' Ze graaide in een andere koffer en haalde er een wit kanten geval uit.
'Nee!' Breedkaak deinsde vol afkeer achteruit. 'Dat doe ik niet!'
'Denk aan de schat, kapitein,' zei Kim plagend.
Tandenknarsend schoof Breedkaak de bh-bandjes langs zijn armen omhoog.

'Nu nog wat vulling.' Kim groef in de koffers en haalde twee flinke bollen wol te voorschijn. Vakkundig propte ze ze in de bh.
Toen Breedkaak de jurk weer aan had, trok Kim de uiteinden naar elkaar toe.
'Wat een rare kleren,' zei ze, 'er zitten niet eens knopen aan!'
'Het is erg oud spul,' zei Breedkaak. 'Die koffer daar is nog gestolen door mijn opa's opa en daar de opa van. Ik denk dat je die jurk met een touw dicht moet rijgen. Dat was vroeger zo.'
Kim trok en zigzagde het koord langs de haakjes aan de achterkant van de jurk. Eindelijk was ze klaar. Ze deed een paar stappen naar achteren en keek naar de strak staande zachtgele stof.
'Prachtig! Die kleur staat je echt leuk! Goudtand zal niet weten wat hij ziet.'
Breedkaak gromde iets onverstaanbaars en richtte zijn kijker op het land. 'Daar heb je het gedonder al! Ze gaan vertrekken. Snel, we moeten achter ze aan.' Breedkaak schoot in zijn piratenlaarzen en zette zijn hoed met de doodskop op.
'Maar we moeten nog make-uppen!' riep Kim. Ze zwaaide met een grote poederkwast.
Maar het hoofd van Breedkaak verdween al over de reling. Teleurgesteld deed Kim de make-upspullen in een tasje en liet zich in de roeiboot zakken.
Met grote slagen roeide de kapitein naar de kust. De aangewakkerde wind stuwde de golven hoog op. Die tilden het bootje op en namen het op witte

schuimkragen mee. Een grote golf kwam aangerold en het bootje heide naar opzij. Meer en meer kruide de golf om. Met donderend geraas stortte hij zich over het bootje uit. Kim verdween in het schuim en de luchtbelletjes. Ze klemde het tasje met make-up-spullen stevig tegen zich aan. Ze rolde over de kop en werd dubbelgevouwen. Ze draaide om haar as en werd opzij geduwd. Haar buik en armen schuurden over iets scherps. Ze hoorde meeuwen schreeuwen maar zag ze niet. De omgeving was veranderd in één grote grauwe mistbank.
'Hé snoes,' hoorde ze vlak naast zich, 'waarom haal je die nachtjapon niet van je hoofd?'
Nachtjapon? Kim trok en worstelde en eindelijk werd de lucht weer blauw.
Ze keek naar de doorweekte kapitein die bezig was een zeester uit zijn haar te halen. Zijn hoed lag een eind verderop en zijn jurk zat vol met zand en schelpen. Onder de gele stof staken een paar zwart behaarde benen uit.
Dit lukt nooit, dacht Kim somber, hier wordt zelfs Goudtand niet verliefd op.

14. De achtervolging

Het pad langs de rotsen liep steil omhoog. Breedkaak liep met grote passen voorop. De gele rok spande om zijn benen.

'Kapitein,' hijgde Kim, 'kan het niet wat langzamer?'

'We moeten sneller, veel sneller. Ik kan Goudtand nu nog zien door mijn kijker. Hij loopt met de schatkaart in zijn hand. En Krenghilde jaagt hem de hele tijd op. Ze duwt in zijn rug en trekt aan zijn arm. Ze heeft vreselijke haast om bij de schat te komen.' Breedkaak pakte Kim beet. 'Kom snoes, schiet op, we mogen ze niet uit het oog verliezen.'

En verder gingen ze weer totdat Breedkaak na een poos bleef staan. Hij zette de kijker tegen zijn oog en tuurde naar het rovershol. Het lag er verlaten bij. De kijker gleed langs de rotsen omhoog naar de boom waar Brutus tegen had gezeten.

'Snoes, zie jij ze nog?'

Kim zocht de berghelling af. 'Ik zie iets schitteren, daar meer naar links.'

'Dat moet Goudtand zijn,' mompelde Breedkaak. Hij keek in de richting waarin Kim wees. Een afgekloven snor verscheen in zijn beeld en verdween toen achter een rotsblok. 'Brutus en zijn rovers zitten al achter ze aan. We moeten snel zijn!'

Vlug volgden ze hun weg over een smal stenen

paadje. De meeuwen vlogen op en schreeuwden snerpend. In de diepte beukten de golven woest tegen de rotsen.

'We halen ze in,' hijgde Breedkaak, 'nog even doorzetten, snoes. We moeten bij ze zijn voordat ze dat bos, daar in de verte, ingaan.'

Ze klommen en klommen. Een brandende pijn zwol op in Kims benen.

Plotseling bleef Breedkaak doodstil staan. Hij legde zijn vinger tegen zijn lippen en gebaarde naar Kim zich niet te verroeren. Een knagend geluid klonk van achter een rotsblok.

'Dat is Brutus,' fluisterde Breedkaak. 'Hij knaagt zijn hele snor op.'

Brutus? dacht Kim. Zo dichtbij? Bang keek ze om zich heen. Ze kwam langzaam overeind en draaide zich om. Op haar tenen sloop ze weg. Maar de grote hand van Breedkaak pakte haar vast en trok haar naar zich toe.

'Je laat me toch niet in de steek?' siste hij in haar oor.

'Het lukt nooit,' fluisterde Kim. 'Je ziet er zo stom uit! Je bent gewoon een kerel in een jurk.'

'We moeten doorgaan!' Breedkaak keek haar smekend aan. 'Het is onze enige kans.'

'Nee!' siste Kim. 'Veel te gevaarlijk!'

'Alsjeblieft? Dan mag je mijn lippen stiften.'

Kim keek naar de dikke lippen van de kapitein. Ze zou er heel wat op kunnen smeren.

'Mag ik ook poederen?' fluisterde ze.

Het oog van de kapitein flakkerde op.

'Ik ga terug, hoor!' dreigde Kim.
'Oké,' siste Breedkaak nijdig, 'maar doe het snel!'
Kim luisterde scherp. Het geknaag klonk nu van verder weg. Ze pakte de poeder die door het zeewater in een dikke smurrie was veranderd. Met haar vingers smeerde ze Breedkaak flink vol. Zijn lippen stifte ze knalroze.
'Nu nog even je oog bijwerken.' Ze bekeek hem nadenkend. 'Kan dat lapje niet af?'
'Kan wel, maar er zit niets onder.'
'Ook geen oog?'
'Vooral geen oog, wil je het zien?'
Kim schudde haar hoofd en maakte het andere oog net zo zwart als het lapje.
'We zouden nog een schoonheidspukkel kunnen doen,' zei Kim en ze rommelde in het tasje.
'Niets daarvan!' Gespannen tuurde Breedkaak door zijn kijker. 'We moeten gaan!'
Snel klommen ze naar de plek waar Goudtand en Krenghilde het bos in waren gegaan. Daar kropen ze weg tussen de struiken. Wat verderop staken de hoofden van de rovers boven de bladeren uit. Het geknaag van Brutus golfde in hun richting. Zwak was een zacht geblaas en gegiechel te horen.
'Arme Goudtand,' fluisterde Kim, 'Krenghilde blaast alweer in zijn oor.'
'Ik ben bang dat ze vlak bij de schat zijn. Ik moet erheen voordat Goudtand de juiste plek aanwijst.'

15. De kist

Voorzichtig kropen Kim en Breedkaak onder en tussen de struiken door. Ze hoorden nu duidelijk het geluid van een schep die in de grond gestoken werd. Zodra het geluid stopte, klonk een zacht geblaas gevolgd door het gegiechel van Goudtand.
'Toe nou, tandje, ga nou door. Je zou me toch verwennen? Ik kan bijna niet meer wachten op die gouden armband. En van die ring met die diamant krijg ik helemaal de bibbers.' Krenghilde blies ongeduldig in Goudtand zijn oor.
'Ja, hi, hi, tuurlijk, niet doen, niet meer blazen!'
En de schep kraste weer in de harde bodem.
Breedkaak zakte op zijn buik aan de rand van de open plek. Kim kroop naast hem.
Een schrapend geluid klonk vanuit de kuil die Goudtand gegraven had.
'Snel!' krijste Krenghilde, 'maak het deksel vrij, ik kan niet meer wachten!' Ze groef met haar beide handen in het zand.
'We zijn te laat!' kreunde Breedkaak. Moedeloos liet hij zijn hoofd op de bladeren zakken. 'Deze schat is voor Krenghilde.'
Krenghilde tilde haar hoofd op uit de kuil. 'Brutus! Waar blijfje nou? Kom helpen!'
Van alle kanten kwamen de struikrovers aanrennen. Ze verdrongen zich om de kuil. Goudtand werd

opzij geduwd en ze groeven en vochten om bij de kist te komen. Eindelijk hadden ze hem te pakken en trokken ze hem naar boven.
'Opzij idioten!' schreeuwde Brutus. 'Deze kist is voor mij.' Hij stak zijn mes in het slot en probeerde het open te wrikken.
Kim stootte Breedkaak aan. 'Snel kapitein, haal Goudtand daar weg. Niemand let nog op hem.'
Breedkaak tilde zijn hoofd op. Tranen van woede kropen over zijn wangen en maakten strepen in zijn make-up.
'Dat heeft toch geen zin meer.'
'Jawel!' siste Kim. 'Goudtand weet nog meer schatten te liggen! Zorg dat hij verliefd op je wordt en hij zal ze aanwijzen.'
'Denk je?' fluisterde Breedkaak terwijl hij de zwarte make-up nog verder over zijn gezicht uitsmeerde.
'Je ziet er heel lief uit, het lukt zeker. Zorg alleen dat Brutus je niet ziet.'
Breedkaak keek naar de rovers bij de kist. 'Die zijn voorlopig nog wel met dat slot bezig. Die hebben geen tijd voor mij.' Hij kroop overeind en trok zijn jurk recht.
'Vergeet niet in zijn oor te blazen!' fluisterde Kim nog. Maar Breedkaak was al op de open plek en liep naar Goudtand toe.
'Dat verrekte slot!' Brutus trapte hard tegen de kist.
'Wacht!' krijste Krenghilde.
'Dat ik daar niet eerder aan gedacht heb. Goudtand heeft natuurlijk een sleutel!'
Krenghilde en de rovers draaiden zich tegelijkertijd

om. Hun monden zakten open van verbazing. Met grote ogen keken ze naar een dikke vrouw in een veel te strakke jurk. Zwaaiend met haar heupen liep ze op Goudtand toe.
Kim sloeg haar handen voor haar ogen. Tussen de spleetjes van haar vingers door keek ze naar de kapitein. Arme Breedkaak! dacht ze. Brutus hakt hem in mootjes!
'Wat is dat voor wijf?' schreeuwde Brutus en hij trok zijn mes. Dreigend liep hij op Breedkaak af. Breedkaak lachte zenuwachtig en deed een paar stapjes achteruit. Toen Brutus vlak voor hem stond, bolde Breedkaak zijn wangen en blies. Een windkracht tien suisde om de oren van Brutus. Als verstard bleef de gevaarlijke roverhoofdman staan. Langzaam begonnen zijn wangen te gloeien en zijn ogen te glanzen.
Een dwaas gegiechel klonk uit zijn mond.
'Doe dat nog eens, hi hi, wijfie, blaas nog eens in mijn oor.'
'Het is niet waar!' kreunde Kim. 'Wat moeten we nou met een verliefde Brutus? Die laat Breedkaak vast nooit meer gaan!'

16. Het gevecht

Wat moet ik doen? dacht Kim. Zenuwachtig frunnikte ze aan het lapje voor haar oog. Hoe krijg ik Breedkaak hier vandaan? Aan Goudtand heb ik niets, die zit maar op een boomstronk te staren. Hij loopt niet eens weg!
'Brutus!' krijste Krenghilde en ze schudde hard aan de arm van de roverhoofdman. 'Denk toch aan de schat!'
'Ik doe niet anders.' Verliefd keek Brutus naar de zwarte vegen en het plukje haar op Breedkaak zijn gezicht.
'Ik bedoel niet dat mens!' Krenghilde gaf Breedkaak een harde duw. 'Ik bedoel de schatkist.'
Breedkaak gaf Krenghilde een zet terug en sloeg zijn arm om Brutus heen.
'Blijf af' schreeuwde Krenghilde, 'die vent is van mij!' Ze greep Breedkaak bij zijn haar en trok uit alle macht.
'Au!' bulderde Breedkaak, 'ellendige zeekat, laat dat!' En hij greep haar linkerbeen.
De rovers schreeuwden en joelden en gingen dicht om de vechtende vrouwen heen staan.
Dit is mijn kans! dacht Kim en ze sprong op. Snel sloop ze achter de rovers langs naar Goudtand. Ze pakte hem bij zijn hand en trok hem mee naar de schatkist.

'Vlug, til die kist op!'
Goudtand staarde haar suf aan en draaide zich toen om naar de vechtende Krenghilde en Breedkaak.
Zal ik in zijn oor blazen? dacht Kim. Ze keek naar zijn gouden tand die net iets over zijn lip naar buiten stak. En als hij me dan wil zoenen? Kim rilde. Dat nooit! Snel begon ze zijn zakken te doorzoeken. Geen sleutel te vinden. Ze klopte op zijn jasje, daar onder kraakte iets! Haar hand gleed naar binnen en trok een stuk papier te voorschijn. De schatkaart! Ze had de schatkaart in haar hand! Ze keek om zich heen, maar er was niemand die op haar lette. Ze liet de schatkaart in haar nachtjapon glijden en klemde hem vast tussen de riem.
Weer gleden haar handen over de kleding van Goudtand. Nu voelde ze iets hards onder zijn overhemd. Haar hand kroop naar zijn nek en trok aan een koordje. De sleutel kwam langzaam tussen de borstharen omhoog. Snel haalde ze de sleutel van het koordje af. Ze boog zich over de schatkist en opende het deksel. Even staarde ze doodstil naar het geflonker en geschitter in de boordevolle kist. Maar dat was snel over. Gejaagd keek ze naar de rovers. Die stonden met hun ruggen naar haar toe en vuurden de vechtende vrouwen aan.
Ik moet snel zijn! dacht Kim. Vliegensvlug begon ze de kuil, waar de schatkist in gezeten had, nog dieper te maken. Ze groef met twee handen tegelijk. Net zoals de hondjes gooide ze het zand tussen haar benen door naar achteren. Ze maakte van haar onderarmen een ploeg en schoof het zand nog ver-

der weg. Ze kreeg het snikheet, haar hoofd voelde zweterig aan.
Toen het gat diep genoeg was, begon ze de goudstukken en de juwelen uit de schatkist in de kuil te scheppen. De armbanden en halskettingen rinkelden. Met een ruk keek Kim op. Maar de rovers schreeuwden zo hard dat ze niet hoorden wat er achter hun rug gebeurde. Ook het gehijg en gekerm en gekrijs en gevloek van Breedkaak en Krenghilde overstemden ieder geluid.
Snel haalde Kim de laatste goudstukken, diamanten en parels uit de kist en gooide ze in de kuil. Vervolgens schoof ze een dikke laag zand over de schat heen. Van de kostbaarheden was nu niets meer te zien. Met de rest van het zand dat uit de kuil gekomen was, vulde ze de kist.
Ze hoorde het geluid van stof die scheurde. Het geschreeuw van de mannen verstomde. Snel draaide Kim de kist weer op slot en keek op. De jurk van Breedkaak was van boven tot onder opengescheurd. De bollen wol hingen er zielig bij.
'Het is een kerel!' krijste Krenghilde.
De zachte glans verdween uit de ogen van Brutus. Een woedend vuur laaide erin op. Zijn spieren spanden zich en zijn handen grepen naar zijn messen. De rovers drongen steeds dichter om Breedkaak heen.
'Sleutel!' riep Kim en ze zwaaide ermee in de lucht.
Als één man keerden de rovers zich naar haar om en staarden haar aan.

‘Sleutel,’ zei Kim nu heel wat zachter. Ze draaide zich om en zette het op een rennen. De sleutel hield ze in haar gestrekte arm boven haar hoofd.
‘Erachteraan!’ schreeuwde Brutus, ‘grijp die meid!’
Tussen de struiken gaf Kim de sleutel een enorme zwieper. Met een boog vloog hij door de lucht en verdween in het lage kreupelhout.
‘Zoeken, mannen!’ schreeuwde Brutus. Zijn stem klonk rauw. ‘Op je knieën jullie en til iedere tak en ieder blaadje op totdat je die sleutel gevonden hebt. En jij,’ hij draaide zich om naar Krenghilde, ‘jij houdt je met hem bezig.’
‘Oh nee, niet weer!’ kermde Breedkaak. Met de gescheurde jurk wapperend achter zich aan vluchtte hij het bos in.

17. Ontsnapt

Overal in het bos hoorde je krakende takken en schreeuwende stemmen. Hijgende ademhaling en kreten van pijn.
'Deze kant op, kapitein!' Kim kwam van achter een boom vandaan en greep de hand van Breedkaak.
'Waar zat je al die tijd? Ik ren al een uur rond met dat mens op mijn hielen!'
'Laat los! Die speklap is voor mij!' schreeuwde Krenghilde en ze nam een sprong.
'Snoes, help me toch!' kreunde Breedkaak.
Kim haakte snel haar gouden oorring los en hield hem omhoog. Krenghilde kreeg een begerige blik in haar ogen en strekte haar hand uit.
'Zoeken maar!' riep Kim en ze gooide de oorring tussen de struiken. 'En nu hollen kapitein, daar verderop ligt de roeiboot van Goudtand.'
Kim trok de vermoeide Breedkaak mee over de rotsen.
'Sneller, we moeten hier weg zijn voordat ze de sleutel vinden.'
Ze gleden langs grote steenbrokken naar beneden en renden naar het strand. Samen duwden ze de roeiboot in het water en klommen erin.
Doodmoe liet de kapitein zich achterover vallen.
Kim pakte de roeispanen en roerde ermee in het water.

'Het is allemaal voor niets geweest,' hijgde Breedkaak. 'Goudtand zit nog steeds bij de rovers. Heb ik daarvoor mijn baard afgeschoren?' Zijn hand schuurde over de stoppels op zijn kin.
Een ontevreden geschreeuw klonk vanuit het bos.
'Wat hebben die kerels nou?' Breedkaak tilde verbaasd zijn hoofd op.
'Ik denk,' lachte Kim, 'dat ze de sleutel gevonden hebben.'
'Het klinkt anders niet erg vrolijk,' bromde Breedkaak.
'Dat komt omdat de kist leeg is.'
'Leeg?' brulde Breedkaak. 'Zei je leeg?'
'Nou ja, niet echt leeg,' zei Kim opgewekt, 'er zit zand in.'
'Heb ik mijn leven gewaagd voor een kist met zand?'
'Nee, ik heb hem leeggehaald en de schat weer begraven.'
'Wat?' Breedkaak staarde haar sprakeloos aan. 'Wat heb je gedaan?'
Kim schoof onzeker heen en weer over het bankje. De kapitein keek haar zo strak aan.
'Weer begraven,' zei ze zacht, 'op een heel goeie plek. Over een paar weken kunnen we hem zo op gaan halen.'
'Tegen die tijd ben ik al omgekomen van de honger. Ik heb nog maar een halve zeekaak. Of moet ik soms gebakken zeil eten?'
Kim stak de roeispanen in het water en trok eraan. Het bootje wiebelde van links naar rechts.

‘Opzij jij!’ Breedkaak duwde Kim van het bankje af en pakte de riemen. ‘Jij kunt ook niets.’ Kim voelde hoe het in haar tenen begon te kriebelen. Het kroop omhoog langs haar benen en haar buik en opeens zat het in haar keel. Haar mond ging wijd open. ‘Halfzachte piraat die je bent!’ schreeuwde ze. ‘Nooit help ik je meer, hoor je, nooit! Eerst scheur je mijn nachtjapon aan stukken, dan, dan ...’ Van woede kwam ze niet meer uit haar woorden.
‘Helpen?’ brulde Breedkaak. ‘Noem jij dat helpen? Nog niet één goudstuk heb je meegenomen!’ Hij snoof woest en trok hard aan de roeispanen.
Kim ging met haar rug naar de kapitein toe zitten en keek over het water. Ze voelde aan haar lege oorlelletje. Was ik maar thuis, dacht ze. Ik zal hem straks vertellen dat hij me nooit meer hoeft op te halen. Mij krijgt hij niet meer mee.
Opeens strekte ze haar rug en keek scherp in de verte. Even dacht ze dat ze een arm uit het water zag steken. Ja! Nu zag ze het weer. Ze liet de verrekijker van haar rug glijden en zette hem tegen haar oog.
‘Stop! Er ligt daar iemand in zee!’
Breedkaak spuugde over de rand van de boot en ging door met roeien.
‘Hij gaat iedere keer koppie onder, we moeten hem redden!’
Breedkaak zwoegde zonder op of om te kijken verder.
‘Ik zie iets schitteren!’
‘Wat?’ Breedkaak greep de kijker van Kim en ging

staan. ‘Die duivelse Goudtand!’ siste hij. Snel pakte hij de riemen en keerde de boot.
‘Aan het watertrappen, ventje?’ grijnsde Breedkaak toen ze vlak bij Goudtand waren.
‘Guhgh,’ rochelde Goudtand en greep zich vast aan de boot. ‘Red me,’ kreunde hij, ‘het kreng heeft me van de rotsen gegooid.’
‘En ze was zo lief voor je,’ zei Breedkaak plagerig. ‘Ze blies zo lekker in je oor.’
‘Toen ze ontdekte dat er zand in de kist zat, ging het mis. Ik wilde de schatkaart pakken om haar te troosten maar die was ook weg.’
Kims hand gleed over haar nachtjapon. Dat is waar ook! dacht ze, ik heb de kaart nog!
‘Alsjeblieft Breedkaak,’ smeekte Goudtand, ‘breng me naar mijn boot.’
‘Waarom zou ik dat nou doen? Ik denk dat ik zelf maar naar jouw boot ga en een stuk van je mast afhak.’
‘Psst! kapitein!’ Kim kroop naar Breedkaak en fluisterde lang in zijn oor.
‘Snoes, je bent geweldig!’ Breedkaaks bulderende lach klonk over het water. Hij stak zijn hand uit naar Goudtand en trok hem in de roeiboot.
‘Hou je vast!’ Hij pakte de roeispanen en met een flinke vaart ging het naar de boot met de gouden mast.

18. Naar huis

Kim zwaaide vanuit het roeibootje naar kapitein Goudtand die nu weer op zijn eigen piratenschip was.
'Jammer dat er geen feest is,' zei ze. Verlangend keek ze naar de boot van Goudtand die vol met piraten zat.
'Wees maar blij dat je nu niet op dat schip zit. Als Goudtand ziet dat ze aan zijn mast hebben gezeten ...'
Een plons klonk vanuit de verte. 'Daar gaat de eerste goudschraper al.' Breedkaak krabde aan zijn kale kin. 'Er zullen er nog wel een stelletje volgen.'
Het duurde niet lang of de piraten plonsden als rotte appeltjes in de zee.
'Laat Goudtand die mannen gewoon in zee liggen? Maar dan verdrinken ze!'
Breedkaak haalde zijn schouders op. 'Het zijn piraten, die kunnen wel wat hebben. Straks vis ik er wel een stelletje op. Dan heb ik ook weer wat kerels aan boord. Maar eerst ga ik jou naar huis brengen.'
Breedkaak stak de roeispanen in het water en roeide naar zijn eigen boot.
Ze klommen aan boord van de Zeeduivel, hesen het zeil en haalden het anker op. Met een stevige wind in de rug voeren ze op huis aan.
Slaperig stond Kim aan de reling. Breedkaak sloeg

De Zeeduivel

zijn arm om haar heen en drukte haar stevig tegen zich aan. Zijn stoppelige wang schuurde langs haar gezicht. 'Wat een geweldig idee van je, snoes, om Goudtand zijn eigen kaart terug te laten kopen!' Breedkaak keek naar het kistje dat bij zijn voeten stond en dat gevuld was met juwelen. 'Ik denk dat we er een goede prijs voor hebben gekregen.' Hij liet een stel gouden munten in zijn broekzak rinkelen. 'Je had helemaal gelijk, ik heb niets aan zo'n kaart. Ik kan toch nooit een schat vinden. Bovendien hebben we nu zelf een verborgen schat.' Breedkaak stak zijn hand in zijn broekzak. 'Hier dit is voor jou, daar kun je een nieuwe nachtjapon van kopen.' Hij stopte Kim een gouden munt in haar hand. 'En onthoud goed waar je de schat begraven hebt. Want binnenkort kom ik je weer halen.'
'Laat eerst je baard maar groeien,' prevelde Kim, 'dit prikt te veel.'

'Prikt mijn baard te veel?'
Vader voelde aan de stoppels op zijn kin. 'Ik moet me ook nog scheren.'
Kim keek haar vader verdwaasd aan. Ze keek haar kamer rond en probeerde na te denken.
'Kom op, meisje, opstaan. Het is tijd.' Vader wilde het dekbed openslaan.
Nog net op tijd voelde Kim de slierten van haar nachtjapon om haar benen. Ze greep het dekbed vast.
'Niet doen!'
'Zo? Zijn we chagrijnig vandaag?' Vaders uitgestrek-

te vingers kwamen op haar af.
'Nee!' gilde Kim, 'niet kietelen, niet vandaag!'
Al kietelend verdwenen vaders handen onder het dekbed.
'Niet doen!' gilde Kim kwaad maar ook lachend. 'Hou op!'
'Hè,' zei vader, 'wat is dit nou?' Hij haalde Kims verrekijker onder het dekbed vandaan. 'Ligt dat ding nou alweer in je bed? Laat je moeder het maar niet zien, anders krijg je nog op je kop.' Hij gaf haar een prikzoen op haar wang. 'Maar kom, nu is het echt tijd om op te staan.'
Zodra hij de kamer uit was, zocht Kim snel onder haar dekbed. Ze vond niet alleen de gouden munt maar ook een zwartfluwelen zakje. Snel maakte ze het open en haalde er een briefje uit.

Taal eezd snikkerk tien nfpakkea!

Kim glimlachte en keek naar de glanzende witte ballen. 'Het lijken wel parels,' fluisterde ze. 'Die zijn vast meer waard dan bommen.'
Gehaast kleedde ze zich aan. Haar nachtjapon propte ze onder in de kast. Straks ga ik eerst maar eens een nieuwe kopen, dacht ze. Ze liet de gouden munt in haar broekzak glijden. Het zwarte zakje bond ze aan haar riem. Fluitend sloeg ze de kamerdeur achter zich dicht.

...... 

 ……